05 南京博物院

杜瑩◎編著　　朝畫夕食◎繪

U0108923

中華教育

漫話國寶 05 南京博物院

杜瑩◎編著
朝畫夕食◎繪

出版　中華教育
　　　香港北角英皇道四九九號北角工業大廈一樓B
　　　電話：（852）2137 2338　　傳真：（852）2713 8202
　　　電子郵件：info@chunghwabook.com.hk
　　　網址：http://www.chunghwabook.com.hk

發行　香港聯合書刊物流有限公司
　　　香港新界荃灣德士古道220-248號
　　　荃灣工業中心16樓
　　　電話：（852）2150 2100　　傳真：（852）2407 3062
　　　電子郵件：info@suplogistics.com.hk

印刷　深圳市彩之欣印刷有限公司
　　　深圳市福田區八卦二路526棟4層

版次　2021年3月第1版第1次印刷
　　　©2021中華教育

規格　16開（170mm×240mm）
ISBN　978-988-8758-10-4

印務　排版　裝幀設計　責任編輯
劉漢舉　陳淑娟　陳淑娟　吳黎純

• 目錄 •

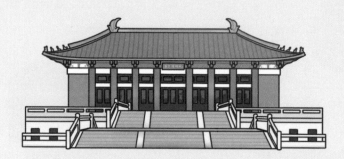

　　南京博物院坐落於南京市紫金山南麓（粵 碌
普 lù），它的前身是 1933 年蔡元培先生倡建的
國立中央博物館，也是中國第一座由國家投資興
建的大型綜合類博物館。南京博物院收藏了從舊
石器時代到當代的 43 萬餘件（套）珍貴藏品。
青銅、玉石、陶瓷、金銀器皿、竹木牙角、漆器、
絲織刺繡、書畫、印璽、碑刻造像等文物品類一
應俱有，不由令人感歎數千年中華文明的博大精
深。

第一站

明洪武釉裏紅
歲寒三友紋梅瓶

✦ 個人檔案 ✦

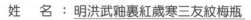

姓　　名：明洪武釉裏紅歲寒三友紋梅瓶

年　　齡：600 多歲

血　　型：瓷型

職　　業：擺件

出生日期：明代

出 生 地：江蘇省江寧縣

現居住地：南京博物院

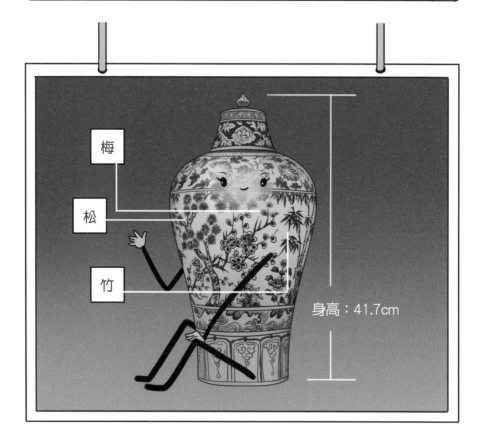

梅

松

竹

身高：41.7cm

今天能見到一位超級大美女姐姐，真是太開心了。不過，我得多唸幾遍她的名字，這麼長、這麼扭口（拗），真是有點為難我們小學生，感覺都像在唸繞口令了。

梅瓶姐姐，您的全名可真長！

您好，我是明洪武·釉裏紅·歲寒三友紋·梅瓶。

您好，我是伊麗莎白·亞歷山德拉·瑪麗·温莎。

幸會幸會。

洋氣的名字也有鬱悶的時候……

讓你們上課講話，罰抄名字 100 遍。

飛快

誰來救救我……

話說，我這一長串名字可有講究了。

明洪武 ！

這個說的是明洪武釉裏紅歲寒三友紋梅瓶的<u>出生時間</u>。

明朝的第一位皇帝叫朱元璋，他的年號就是洪武。

朱元璋可是個傳奇人物，他小時候家裏很窮，他給人做過小工，放過牛，還做過和尚，後來參加起義軍南征北戰，最終推翻了元朝的統治，成為明朝的開國皇帝。

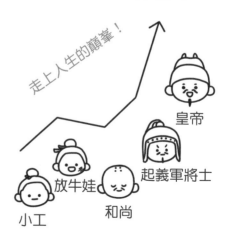

走上人生的巔峯！

皇帝

起義軍將士

放牛娃

和尚

小工

我還知道他老婆腳特別大。

大腳馬皇后？

喊我幹嗎？

這個你們都知道！

朱元璋

釉裏紅 ！

這個說的是明洪武釉裏紅歲寒三友紋梅瓶的製作工藝。

呦，這個熱火澡洗得舒爽！

釉裏紅是以氧化銅為着色劑，在白胎上畫上各種紋飾，然後塗上透明釉，再放進窯爐裏用 1300 ℃ 的高溫燒製。因紅色花紋在釉下，所以大家稱之為釉裏紅。

純正的釉裏紅瓷器是非常珍貴的，

因為**銅離子**對溫度極為敏感，火候一旦掌握不好，紅色就不純正了，會偏黑、偏灰，甚至褪色。

當時燒窯技術還不夠發達，窯爐溫度很難控制，所以只能憑借師傅的經驗了。

人工溫度計工作中，

請勿打擾！

歲寒三友紋

這個說的是明洪武釉裏紅歲寒三友紋梅瓶身上的紋飾了。

歲寒三友指的就是**松柏、竹子**和**梅花**。

讓我們霜雪做伴，
活得瀟瀟灑灑！

松柏和竹子常年青綠，即使在寒冷的冬天也挺霜而立，梅花則迎寒綻放，所以古人把這三種植物稱為歲寒三友。

古人也非常喜歡將松、竹、梅作為**繪畫**的題材。

松柏 象徵着長青不老、堅貞不屈的英雄氣概；

不老男神

真正男子漢

竹子 象徵着頂天立地、坦坦蕩蕩的君子氣節；

梅花 象徵高潔謙虛、自強不息的高尚品格。

哪裏哪裏！過獎過獎！

咦，除了松、竹、梅，這又是啥植物？

這是一株芭蕉，也許是為了追求畫面對稱，洪武時期繪製的歲寒三友紋飾都加了一株芭蕉。

這位繪畫工匠十有八九是處女座！

處女座附體

除了腹部的 **主要紋飾**「歲寒三友」，

梅瓶上還配有：如意紋、捲草紋、纏枝菊花、海水紋、變體仰蓮紋等其他 **輔助紋飾**。

綠葉，你站到後面去。

好的，紅花！

紅花也要綠葉配

梅瓶！

這個說的是明洪武釉裏紅歲寒三友紋梅瓶的樣式啦。

我怎麼這麼美！

梅瓶是一種開口很小、脖子很短、肩膀很寬、瘦底、圈足的瓶子樣式，看上去 **亭亭玉立**。

因為梅瓶的嘴巴**很小**，

只能插梅枝，所以得了這麼個名字。

輕點，輕點！

大力，你手這麼粗幹嗎還伸進去！

嗚嗚嗚，還我手！

梅瓶姐姐，你頭上戴的帽子真漂亮！

我也這麼覺得。你看我身上的花紋是白地紅花，帽子上的則剛好相反，是紅地白花。

紅地白花

白地紅花

還真是相得益彰呀！

這件梅瓶可是現存**唯一**一件帶蓋子而且保存完整的洪武釉裏紅梅瓶了。

姓名：
明洪武釉裏紅歲寒三友紋梅瓶

年齡：
600多歲

身體狀況
健康

獨生子女證

梅瓶姐姐，既然釉裏紅瓷器這麼珍貴，您的主人一定是位大人物吧？

的確，我的主人身份顯赫，跟皇帝朱元璋都大有關係呢！

哼，又想跟我攀親。

梅瓶的主人是朱元璋的<u>孫女</u>和<u>孫女婿</u>。

他們說的是我倆！

駙馬都尉宋琥

安成公主

在江蘇省江寧縣東善橋響龍山附近有一座土包，當地農民把它叫作

「娘娘墳」。

1957年3月，人們在這裏發現了一座<u>明代墓葬</u>，

出土了 47 件文物，

其中就包括這件「歲寒三友紋梅瓶」。

而這座墓的主人就是明代洪武年間的安成公主和駙馬都尉宋琥。

喂，老頭子，我們喜歡的梅瓶被他們挖走了。

挖走就挖走吧，放博物館裏讓這幫沒見過世面的後人開開眼也好！

考古現場

小小博士

　　明朝是中國陶瓷史上一個重要的發展階段，不同時期都湧現了不同的精美作品。我們上面介紹的「釉裏紅」就是洪武年間瓷器的代表品種；永樂、宣德年間，「青花瓷」尤為突出；到了成化年間，就很流行「鬥彩」瓷器，「鬥彩」在那個時期達到它的顏值巔峯；弘治年間，黃釉瓷的燒製達到了歷史上的最高水平，「黃釉瓷」釉色嬌嫩、淡雅，光亮如同雞油一般；而嘉靖、萬曆年間的「五彩瓷」格外豔麗華美，令人過目難忘。

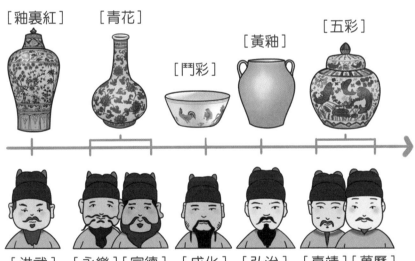

[釉裏紅]　　[青花]　　　　　　　　　　[五彩]

[黃釉]

[鬥彩]

[洪武]　　[永樂][宣德]　　[成化]　　[弘治]　　[嘉靖][萬曆]

哈哈劇場

之「你叫甚麼名字」

文物日誌

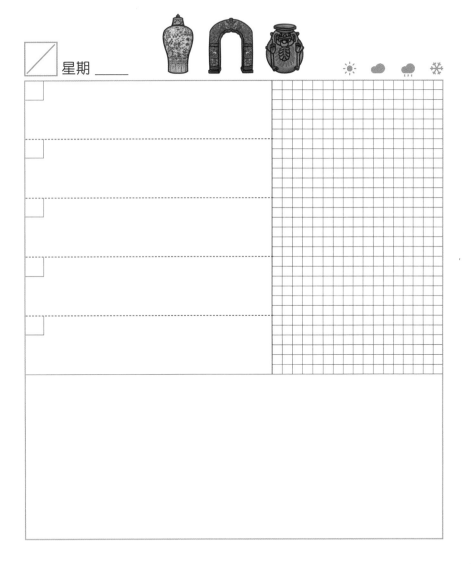

星期 ＿＿＿

第二站

雜 花 圖 卷

個人檔案

姓　　名：雜花圖卷

年　　齡：400 多歲

血　　型：紙型

職　　業：畫卷

出生日期：明代

出 生 地：浙江省紹興市

現居住地：南京博物院

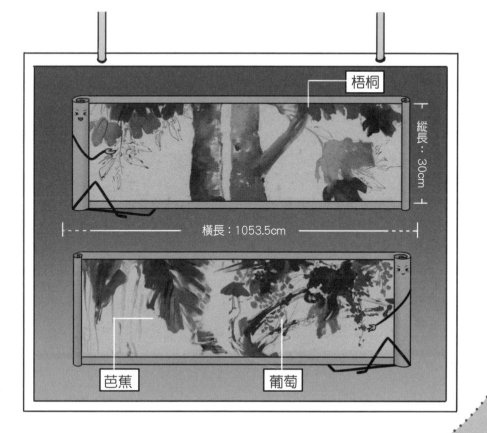

梧桐

縱長：30cm

橫長：1053.5cm

芭蕉　　　　葡萄

5月12日　星期日　　　　　　　　　　　　　　小雨

　　我們今天要去拜訪的是南京博物院的水墨之寶——雜花圖卷大姐。爺爺說水墨畫是中國傳統畫之一，用墨和水調出濃淡不一的顏色來作畫，特別有風韻味。

雜花大姐，我是慕名而來的夏小滿。聽說您的主人超級多才多藝。

此話倒是不假。隆重介紹一下我的主人吧！

徐渭

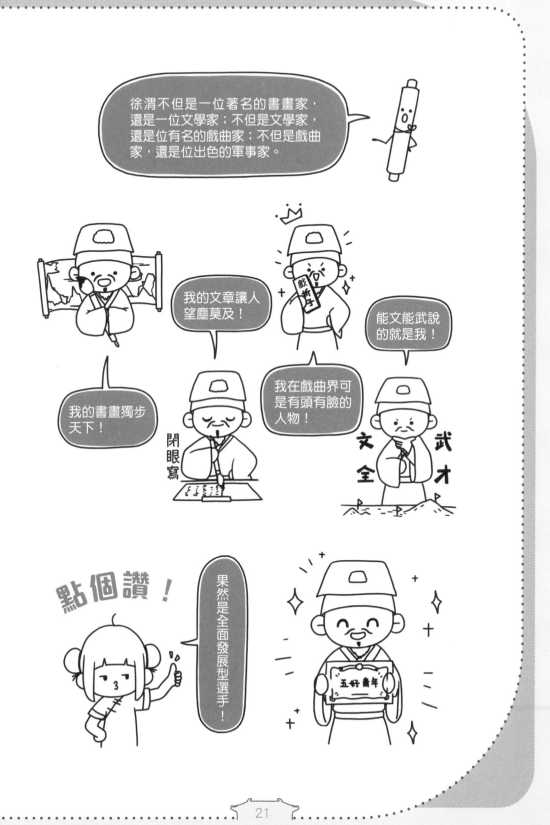

徐渭是個少年**天才**，小時候在鄉里就被稱為小神童，可是小神童的科舉考試之路卻異常**崎嶇**。

徐渭 20 歲那年才考中秀才，此後一次又一次參加鄉試，直到 41 歲，考了 **8** 次，都沒能考中舉人。

小秀才

20 歲

老秀才

41 歲

寫意花鳥畫大賽

特長生能加分嗎？

這位神童少年雖然考場上特別倒霉，但在**書畫界**倒混得不錯，尤其是寫意花鳥畫，徐渭可算得上是位集大成者。

啊？甚麼是寫意畫？

寫意畫是中國畫的一種技法，寫意的反義詞就是寫實。

比如說畫一棵樹。

寫實派

孤獨寂寞冷啊！

寫意派

寫實就是要畫得像；

寫意不講究外形畫得有多像，重點是要表現出景物的

神態，還有畫家內心豐富的情感。

我也要用筆把我內心火熱的小宇宙表現出來！！！

雜花大姐，您身上都畫了些甚麼花呢？

我身上畫的花可多了，不但有花，還有蔬果呢！

《雜花圖卷》一共畫有 13 種花卉、蔬果，分別是：

牡丹	石榴	荷花	梧桐	菊花	南瓜
扁豆	紫薇	葡萄	芭蕉	梅花	蘭花	竹子

整幅畫面是以**牡丹**開始，墨色濃重，描繪出清雅脫俗的牡丹仙子。

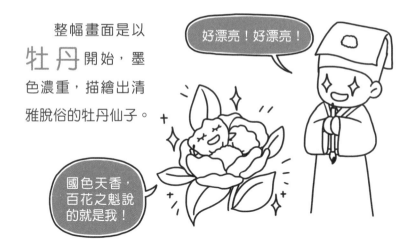

畫面的第一個重點是一株高大的**梧桐**，所佔篇幅是前三種花卉的總和。雖只畫出了樹幹和枝葉的一部分，但枝繁葉茂、濃蔭蔽日的感覺已經躍然紙上；

畫面的第二個重點是**葡萄**和**芭蕉**，這是整幅畫作的主體部分，佔據了將近三分之一的篇幅。

這些線條看似隨意，卻是錯落有致，勾勒出纏繞交織的葡萄藤，

點點濃墨，表現出葡萄的葉片和果實；

好畫好畫！每一根線條都充滿了無限的藝術張力。

!!!

大型雙標現場

王大力，你塗的甚麼鬼畫符？

……

整個畫面的高潮是大片的芭蕉葉。徐渭好像把濃墨潑在畫紙上一般，筆走龍蛇，酣暢淋灕。

兄弟們，該我們出場啦！

徐渭的畫就像交響樂一樣波瀾起伏，
他用畫筆演奏出一曲宏大的樂章。

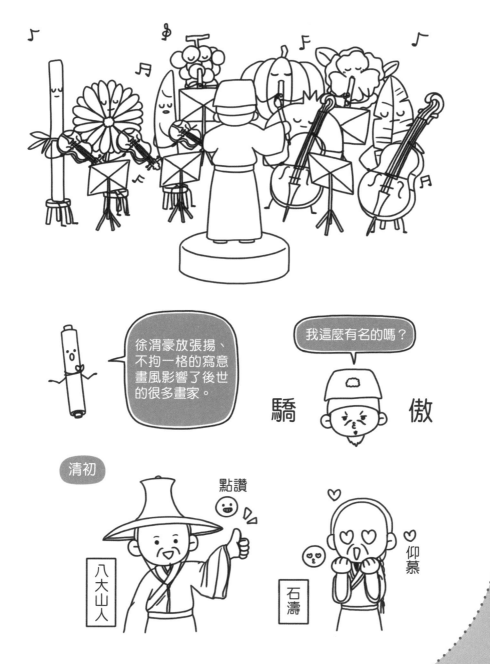

徐渭豪放張揚、不拘一格的寫意畫風影響了後世的很多畫家。

我這麼有名的嗎？

驕　傲

清初

點讚

八大山人

石濤

仰慕

乾隆時期

老徐老徐，頂呱呱！

揚州八怪

尤其揚州八怪之一的鄭板橋對徐渭佩服得五體投地，不惜以**五十**金換了徐渭畫的一枝石榴。

我我我！

徐渭先生大作，競拍開始！

此外，鄭板橋還刻了一枚寫了

「青藤門下牛馬走」的印章。

青藤是誰？

就是徐渭啦，他號青藤老人。

小小博士

　　揚州八怪之一的鄭板橋特別崇拜徐渭，徐渭的寫意畫風對他影響極大。他的一生只畫蘭、竹、石，尤其畫竹，已經到了出神入化的境界。他通過對竹子的仔細觀察和繪畫實踐，提煉出「眼中之竹」「胸中之竹」「手中之竹」的理論。「眼中之竹」是仔細觀察大自然中的竹子；「胸中之竹」是在畫畫的時候，把看到的在心中重新構思；「手中之竹」是用畫筆把心目中的竹子呈現在畫紙上，是藝術創作的實現。鄭板橋把真實的存在與自己的想像巧妙地融為一體，不愧為畫竹高手。

鄭板橋！

哈哈劇場

之「作畫」

文物日誌

星期 ____

第三站

西 晉 青 瓷

神 獸 尊

★ 個人檔案 ★

姓　　名：	西晉青瓷神獸尊
年　　齡：	1700多歲
血　　型：	瓷型
職　　業：	陪葬品
出生日期：	西晉
出 生 地：	江蘇省宜興市周處家族墓周墓墩
現居住地：	南京博物院

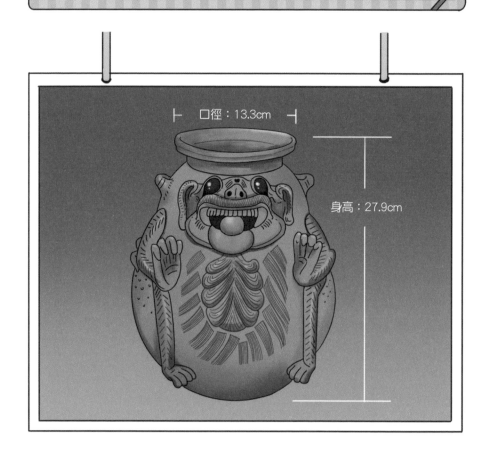

口徑：13.3cm

身高：27.9cm

5月25日　星期六 晴

　　爺爺今天給我佈置了一個高難度的任務：找一個藏起來的大怪獸。還附送了提示信息：一、顏色是青色的；二、遠看是個罐，近看是隻獸；三、底部有「東州」兩字。唉，這可怎麼找嘛，我都焦頭爛額了。

神獸！！

果然有「東州」。

哎呀，我的媽呀！哪裏來的搗蛋鬼！

在罐底

青色 ☑ 罐 ☑ 獸 ☑

⊰ 任務完成！ ⊱

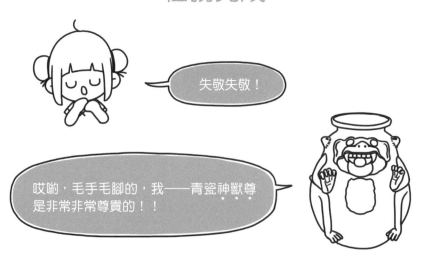

失敬失敬！

哎喲，毛手毛腳的，我——青瓷神獸尊是非常非常尊貴的！！

尊

神獸

合二為一聽說過嗎？

這是小耳朵。

天靈蓋就是這裏了！

工匠在製作青瓷神獸尊的時候巧妙地將「尊」與「獸」融為一體，將尊的頂部空口當成是神獸的頭頂，將尊的腹部當成神獸的大肚子，尊的兩耳就是神獸的耳朵了。

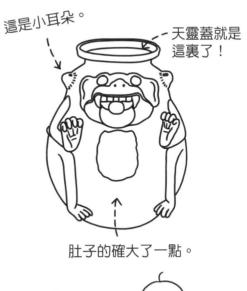

肚子的確大了一點。

絕妙二合一！

詞窮　一片空白
大腦飛速
無法表達　搜索中…

不過神獸尊大人，您長得有點……有點……有點酷！

神	獸	夏小滿

　　神獸的腦袋微微抬起，雙眼瞪得圓溜溜的，一臉好奇的樣子；牠大鼻孔朝天外翻，嘴巴張得好大，嘴裏還含着一顆珠子；神獸看着也很調皮，牠吐着大舌頭，還露出一大排牙齒；牠的下巴上長着好長好長的鬍子，都垂到了肚子上。牠的四肢沒有張牙舞爪地伸展開來，而是緊緊貼着前胸和下腹，好像在做瑜伽似的。

下面請對神獸的外貌進行描寫。

我跟你講，看人不能看外貌，心裏美才是最重要的！

這不是我爸整天對我媽說的話嗎？

我知道青銅做的尊一般都是用來裝酒的，那您是青瓷做的尊，也是用來裝酒的嗎？

非也非也，我是陪葬品，主要是用來鎮墓驅邪，守護墓主人的。

哪裏來的妖魔鬼怪，休怪我刀劍無眼！

哎呀，竟然長得比我們還醜，溜了，溜了。

怪不得要做成一個又兇又醜的怪獸形象。

你在嘀咕甚麼？

啊，沒有，沒有。

那麼，神獸尊是怎麼被發現的呢？

1976 年，在宜興**周處家族**墓中，考古學家發現了牠。

感覺是件絕世珍寶。

你的「感覺」讓我很佩服！

你的「感覺」讓我很受傷！

那周處是您的主人嗎？

我的主人叫周魴，是周處他爹。不過周處比他爹有名多了，你聽說過「周處除三害」的故事嗎？

三害？我只知道四害 老鼠、蒼蠅、蟑螂、蚊子。

難道周處比這個還厲害？

呃……

強力殺蟲劑

此路是我開，此樹是我栽，欲從此路過，留下買路財。哇哈哈哈哈哈！

周處是吳國鄱（粵 播 普 pó）陽太守周魴的兒子。他長得身材魁梧，臂力過人，武藝尤其高強。但是他從小就不喜歡讀書，一天到晚遊手好閒，到處搗蛋，橫行鄉里。

鄉民們叫苦連天，但又不敢和他起正面衝突。

久而久之，鄉里鄉親就把他與<u>南山猛虎</u>、<u>長橋蛟龍</u>並列為當地「三害」。

後來，周處上山射殺了大老虎，又下江河與蛟龍搏鬥，歷經了三天三夜，在水中追逐數十里，終於斬殺了蛟龍。

鄉親以為周處已經和惡龍同歸於盡了，大家互相**慶祝**開心極了。不想周處沒死，從水中哧溜一下鑽了出來。

本公子不就下河游了個泳嗎？

但是當他得知鄉親以為自己死了而互相慶賀時感到非常震驚，才明白原來自己也被當作一大禍害。

嗚嗚，我做錯了甚麼。

於是這位周公子決定洗心革面，重新做人。

我一定可以的！！

堅定

變形記
——從小流氓到大將軍

周處找到了當時吳國的名人陸機、陸雲,學習做人。從此以後他改過自新,最終成為一位歷史上有名的忠臣,被追稱為「平西將軍」。

周處有錯改之,不愧是真英雄!

周處所處的西晉時期可不是個太平盛世:時局動盪不安,社會禍亂不斷,老百姓生活在水深火熱之中,即使官吏和富人也常常禍福難料。

因此,社會上普遍存在着消極避世的觀念。這件青瓷神獸尊葬在周魴墓中,或許是周處想要讓神獸守護父親,保佑他身後安寧,不被後世紛爭打擾。

你可要幫我保護好我爸爸呀!

交給我吧!

小小博士

　　周處的父親周魴雖然沒有「除三害」的兒子有名，但也是少年成名，後來成為東吳名臣，還留下了「斷髮賺曹休」的典故。

　　當時孫權想要用計攻擊曹休的軍隊，周魴就讓自己的親信假意去曹休那裏投降，謊稱孫權不喜歡周魴了，老是無故刁難責罰他，所以周魴想要帶着潘陽郡投降於曹休，希望曹休能派兵前來接應。曹休半信半疑，一直派人暗中打探。為了讓曹休完全相信，周魴就將自己的頭髮剪下一截以示真誠。在古代斷髮可是大事，跟斷頭一樣，他最終騙得了曹休的信任。曹休帶領大軍去潘陽接應，周魴就與陸遜一起將曹休打敗，吳軍斬殺捕獲曹魏兵馬數以萬計。這就是歷史上著名的「斷髮賺曹休」。

我信，我信還不行嗎？!

哈哈劇場
之
「大意了」

文物日誌

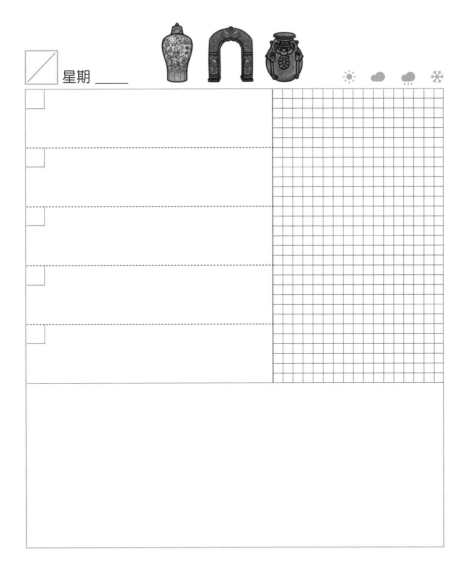

星期 ＿＿＿＿

第四站

大報恩寺

琉璃塔拱門

個人檔案

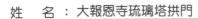

姓　　名：大報恩寺琉璃塔拱門

年　　齡：600多歲

血　　型：琉璃型

職　　業：門

出生日期：明代

出　生　地：江蘇省南京市秦淮區大報恩寺

現居住地：南京博物院

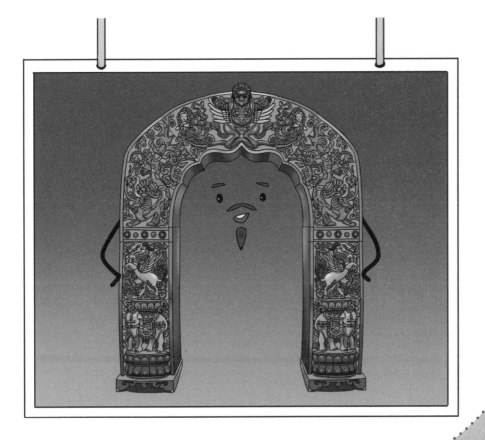

49

6月2日　星期日　晴

　　爺爺說南京城裏曾經有過一個聞名世界的偉大建築，是可以和羅馬大鬥獸場、比薩斜塔、萬里長城比鄰的，榮登中世紀世界七大奇跡榜單。可惜現在已經看不到了，好在它的一道門保流了下來。這到底是個甚麼建築，到底是一道怎樣的門？啊，我的好奇心要爆炸了！

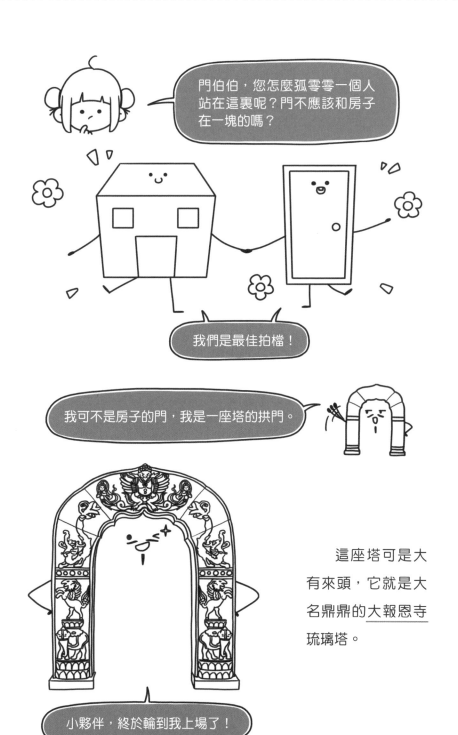

門伯伯，您怎麼孤零零一個人站在這裏呢？門不應該和房子在一塊的嗎？

我們是最佳拍檔！

我可不是房子的門，我是一座塔的拱門。

這座塔可是大有來頭，它就是大名鼎鼎的大報恩寺琉璃塔。

小夥伴，終於輪到我上場了！

大報恩寺是明代皇家寺廟建築的 **代表**，
寺中的這座塔通體用 **琉璃** 燒製而成。

10 多 **萬** 工人修建了 **17** 年，花費了 **200** 多萬兩的白銀才最終完成，是世界建築史上的一大奇跡。

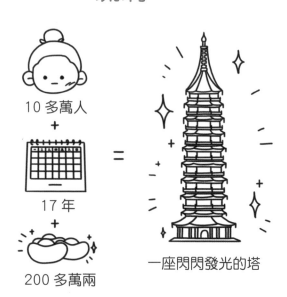

10 多萬人
+
17 年
+
200 多萬兩
=
一座閃閃發光的塔

明代初年至清代前期，大報恩寺琉璃塔可是南京最具特色的 **標誌性** 建築物了，是當時中外人士遊歷金陵的必到之處。

網紅打卡聖地。

要拍好看點，知道嗎！

清代康熙皇帝、乾隆皇帝下江南的時候，也都登上過琉璃塔呢。

這麼高一座塔得有很多拱門吧？

的確如此，我們拱門兄弟有 192 套。

哇，那是超級大家族了啊！

人丁興旺

報恩寺琉璃塔是個八角形的建築，一共有 9 層，塔上這樣的拱門共有 64 套。

在當年建造時，燒製了三套完整的塔身構件，一套用於施工，兩套則埋在地下，方便以後維修時使用。所以當時一共燒製了 64×3=192 套拱門。

其實，我只是個替補隊員而已。

替補席

而現存的這座拱門就是當時備用構件中的一套。

那您的兄弟呢？

說起來都是淚啊！在戰火紛飛的歲月中，琉璃塔損毀了，我的兄弟也都相繼粉身碎骨了，現在就剩下我孤零零的一個人。

淚流成河

您老淚腺也太發達了吧！

門伯伯，您別難受了，看到您我彷彿看到了當年雄偉壯麗的琉璃塔呢。我想，只有非常偉大的建築大師才能設計出這座琉璃塔。

偉大

我的總設計師就是明成祖朱棣。朱棣是朱元璋的第四個兒子,也是明朝的第三位皇帝。

這個偉大的建築大師就是你們氣宇軒昂英明神武玉樹臨風風度翩翩的皇帝我啦,哈哈哈哈哈!

自戀狂!

明成祖朱棣給琉璃塔御賜了「天下第一塔」的美名。

這「天下第一塔」可不是浪得虛名,

它有着獨步天下的三大絕招。

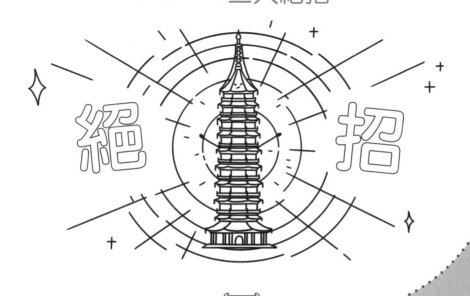

第一絕招：**高聳入雲。**

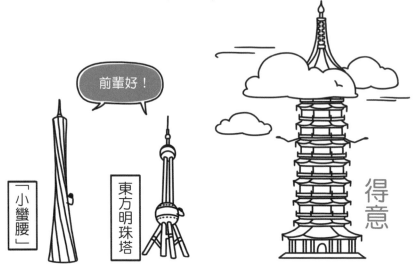

二絕：**通體琉璃。** 三絕：**佛燈永明。**

琉璃塔有 9 層，每層有 8 面，每一面牆壁上都有 2 扇窗戶，每扇窗戶後面都放置了一盞油燈。問：琉璃塔中一共有多少盞油燈？

我我我！9×8×2=144 有 144 盞。

???

夜幕降臨，僧人就會點燃油燈。小火炬似的油燈整晚閃爍着亮光，與天上的星星交相輝映。

輕輕一拔，你們都掛！跟我比亮，還缺斤兩。

插電的

門伯伯，您身上的圖案好像特別有意思。

這些圖案都是藏傳佛教密宗所特有的**法相**裝飾。

這是老鷹嗎？

沒文化，真可怕！

這是大鵬金翅鳥，看着特別威武神氣吧！

在《西遊記》小說裏，大鵬金翅鳥還隆重登場了呢。

片約不忙，就去客串了一下。

唐僧師徒路過獅駝嶺時，遇到了獅駝洞的三大妖怪，
三大王大鵬怪就是大鵬金翅鳥了。

原來你就是那個妖怪！！
吃俺小滿一棒！

拜託，那是虛構的小說！

大鵬金翅鳥下面的這兩位光着膀子的又是誰呢？

這是龍女。你看她們穿着百褶裙，還有長長的龍尾呢。

看，我們漂亮嗎？

龍女不是應該長這樣？

這……美顏過度了吧！

拱門的兩邊還有

摩羯魚、獅羊立獸、白象王等**神獸**。

摩羯魚

獅羊立獸

白象王

雖然這世上只剩下了孤零零的我，但是通過我，大家看到了古代匠人的精湛技藝，感悟大報恩寺曾經的輝煌，還了解了佛教藝術，我覺得我很棒！

小小博士

小朋友熟悉的丹麥作家安徒生在一篇名為《天國花園》的童話故事中寫到:「我剛從中國來,我在瓷塔周圍跳了一陣舞,把所有的鐘都弄得叮噹叮噹地響起來!」這裏的「我」,是擬人化的東風,而「瓷塔」就是我們前面說到的大報恩寺琉璃塔。

安徒生沒有來過中國,他對中國寶塔的了解來源於荷蘭人紐霍夫寫的一本圖文並茂的遊記。紐霍夫來到中國,被這座巨型寶塔獨特的造型和無與倫比的美麗所震撼,他把寶塔畫了下來,並將它介紹到了歐洲,大報恩寺琉璃塔才逐漸為西方世界所了解。

❤哈哈劇場❤

之「敬業」

文物日誌

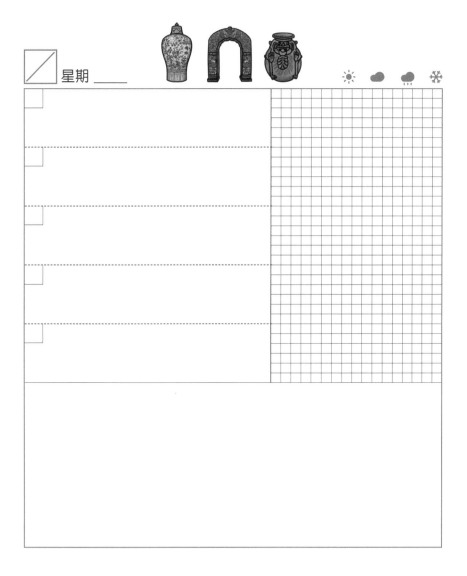

星期 ＿＿＿

第五站

「廣陵王璽」金印

個人檔案

姓　　名：「廣陵王璽」金印

年　　齡：1900多歲

血　　型：金型

職　　業：印章

出生日期：東漢

出 生 地：江蘇省邗江甘泉山

現居住地：南京博物院

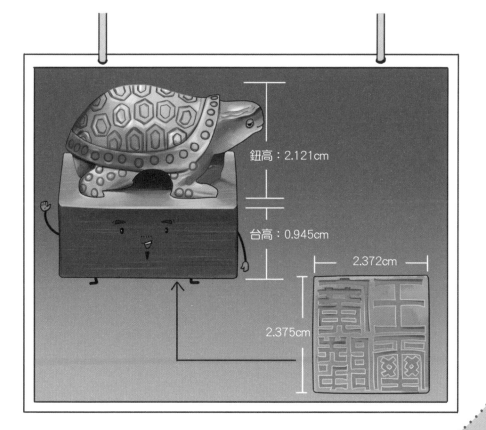

鈕高：2.121cm

台高：0.945cm

2.372cm

2.375cm

6月8日　星期六　　　　　　　　　　　　　　　　　　　晴

　　今天能見到哪位大人物呢？據說這位大人物的發現曾經引起中日兩國史學界的地震，他的出現還順利解決了一樁歷史迷案。好想一睹他的風采呀！

（轟動）

（謎）

咦，甚麼東西這麼晃眼？

哇，這麼大塊金子。哎呀，我要發財了！

不知道是不是24k純金？

想咬！

哎呀，咬不得，咬不得呀！

印章的印面以陰刻的方式，用篆書刻了「廣陵王璽」四個字。廣陵王就是東漢光武帝的第九個兒子劉荊，也就是這個印章的主人。

原來是皇子 的印章啊！

雖然是皇子，不過這個皇子有點差勁。

哼，敢說主人壞話。

我這是實話實說。

實話實說

人們都說虎父無犬子，可惜這位漢光武帝的兒子就是犬子。

劉秀

劉荊

我喜歡狗不行啊！

劉荊同學這一輩子，別的事情甚麼都沒幹，就只專注於一件事——造反。前前後後加起來，一共折騰了 4 次。

難道專注不是一個人的優秀品質？

第一次 他假冒東海王劉彊的舅舅郭況，寫信給劉彊煽動叛亂。事情敗露之後，漢明帝劉莊想到劉荊是自己的同母兄弟，就沒有治他的罪，只是加強了對他的監控。

孩子，你這兄弟腦子不大好使，你得多罩着他一點。

陰麗華

劉莊

好的，媽媽！

這麼大的人了，真不讓人省心！

第二次 劉荊又手癢想謀反了，不過消息很快就走漏了，還沒動手就結束了。漢明帝想離他遠遠的，就讓他到廣陵去任職。他因此被改封為廣陵王。廣陵也就是現在的江蘇揚州。

當了廣陵王後，劉荊還不死心，又搞起了第三次謀反，這次他別出心裁地找來個看相的人。

結果，看相的人告發了他，劉荊嚇得把自己關進牢裏，向朝廷請罪。

漢明帝還是沒有怪罪他，只是派國相、中尉小心「護衛」他。

我用我的一生完美演繹了甚麼叫作「堅持」。

後來劉荊又請<u>巫</u>師來家中詛咒劉莊，事情敗露，<u>再一次</u>被告發，這次這位劉荊同學終於覺得臉面掛不住了，乾脆畏罪自殺了。

唉，你說咱們這兒子的腦袋是被門板夾了嗎？

他是我親生的嗎？

戳

金印大哥，你怎麼戴了個烏龜帽子啊？

這是我的印鈕。

印章頂部一般都會有這樣的雕刻裝飾，也叫「印鼻」，或者叫「印首」。

漢代分封的諸侯王都會用金印，金印上的印鈕還很講究，分封南方的滇國用的是**蛇鈕**，北方的匈奴用的是**羊鈕**，而漢朝內部分封劉姓諸王用的是**龜鈕**。

廣陵王璽可是目前發現的

唯一一枚**漢朝皇族**劉姓的璽印。

劉荊雖然在歷史上留下了熱衷謀反卻總被告發的滑稽形象，但他留下的金印卻解開了後人眾多的疑惑。

千百年來，世人一直無緣得見史書上所記載的龜鈕金印，直到「廣陵王璽」的出現，才讓大家終於一睹了龜鈕金印的廬山真面目。

話說，我在史學界的地位真的是超高，正是因為我的發現才解開了「漢委奴國王」金印的歷史謎案。

就是現在的日本

哇！

沒想到您個頭這麼小，還挺厲害呢！

1784 年春，日本九州福岡縣志賀島出土了一枚蛇鈕金印。印面方形，邊長 2.3 厘米，陰刻「漢委奴國王」五個篆體漢字。可是對於這枚金印，學者卻爭論不休：一方認為這枚金印是漢朝皇帝賜予的，另一方認為這是後人偽造的。

直到 1981 年「廣陵王璽」金印的發現，兩枚金印在尺寸、重量、花紋、雕法和字體上如出一轍，終於使人們完全相信兩千多年前以「漢委奴國王」金印為代表的信物早已在中日之間流傳，是中日兩國交往的最早實物證據。

小小博士

　　1981年2月24日，當時的甘泉公社老山大隊的社員陶秀華正在幹活，無意中在土裏發現了一個黃澄澄的硬東西，便隨手撿起來往口袋裏一塞。回家後，陶秀華把那東西拿出來，放在水裏沖洗了一番，發現竟然是枚印章。她的丈夫曾經在考古隊中待過，感覺這不是個尋常的東西。夫婦倆一合計就趕到了南京博物院請專家來進行鑒定。專家一看激動不已，這可是個千金不換的大寶貝啊。博物院迅速與相關部門取得聯繫，世人這才得以見到「廣陵王璽」金印的真面目。

哇！

這枚印章不尋常啊！

哈哈劇場

之「充電」

文物日誌

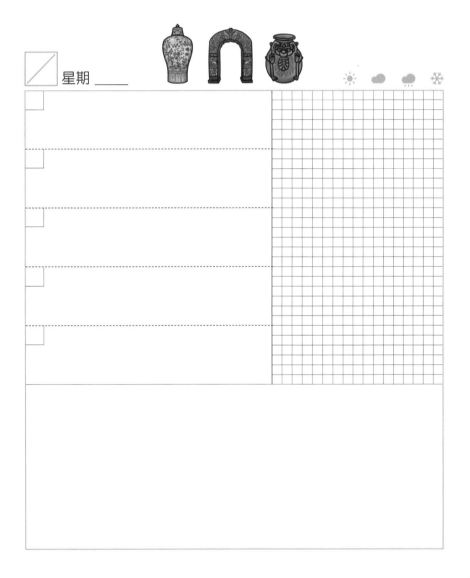

星期 ＿＿＿

第六站

竹林七賢與榮啟期

磚印模畫

個人檔案

姓　　名：竹林七賢與榮啟期磚印模畫

年　　齡：1700多歲

血　　型：黏土型

職　　業：墓室磚畫

出生日期：魏晉

出生地：江蘇省南京市西善橋

現居住地：南京博物院

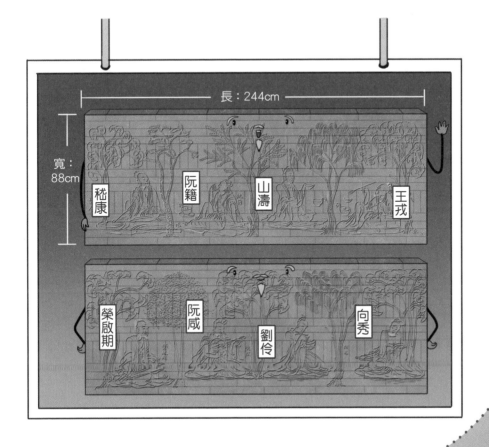

長：244cm

寬：88cm

嵇康　阮籍　山濤　王戎

榮啟期　阮咸　劉伶　向秀

6月15日　星期六　　　　　　　　　　　　　多雲

　　　大家都應該是拼圖高手吧？今天我們可以在博物院裏玩一次超酷的拼圖遊戲了，因為博物院裏有一幅近300塊磚組成的超級大拼圖！作為成功戰勝過500片拼塊的高手，我一定不會被難倒的。

磚畫大哥，您身上的這些人是誰呀？他們分成兩組是在舉行辯論賽嗎？

這些大都是三國時代魏國的高人。

　　磚畫由近 300 塊古墓磚組成，分為兩幅，嵇康、阮籍、山濤、王戎 4 人為一幅，向秀、劉伶、阮咸、榮啟期 4 人佔另一幅。

　　人物之間以銀杏、青松、槐樹、垂柳、闊葉竹隔開。

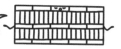

這幾位就是大名鼎鼎的「竹林七賢」了。

嵇康　阮籍　　山濤　王戎　阮咸　劉伶　向秀

他們都很有才情，能寫出漂亮的文章，性格灑脫清高，追求自由，喜歡隱居在山野間。

因為他們常在山陽縣的山野間喝酒、唱歌，後人就稱之為「竹林七賢」。

可是「竹林七賢」才 7 個人，您身上怎麼有 8 個人呢？

謝謝你關注到角落裏的我！

榮啟期

這位是榮啟期，是春秋時期的高士。他博學多才，特別擅長**音樂**，喜歡在郊外邊彈琴邊唱歌。

走在郊外的小路上，暮歸的老牛是我同伴。

奇怪，怎麼魏晉時期的人和春秋時期的人會一同出現在同一幅磚畫上呢？

這有**兩個方面**的考慮：

一方面，考慮到繪畫構圖上的對稱，兩邊各四個人，比較好佈局。

鼻　祖

另一方面，榮啟期與「竹林七賢」有着差不多的性格與志向，說起來榮啟期也算是隱士界的鼻祖了。

玩捉迷藏嗎？

既然這些人都這麼有才，為甚麼還要當隱士躲起來呢？

道不同，不相為謀！他們有個共同的特點：都特討厭那些不說真話、溜須拍馬、沒有真本事的俗人。

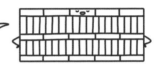

你走你的陽關道，我過我的獨木橋。

從東漢末年開始，這世道就沒太平過，一直打打殺殺，民不聊生。那些皇帝、將軍、大臣都喜歡玩弄權術、爾虞我詐，而不是團結起來，用真本事治理天下。

權力的遊戲

+1
+1
權謀

+1
官人技能

玩家1
玩家2

這使得那些有真才實學的人很痛苦：如果當官，就要和那些玩手段的人同流合污了，而且一不小心就會招來殺身之禍，小命玩完；不做官，又白白讀了那麼多年的聖賢書。

快來和我一起當大官，發大財。

走吧！跟我一起去浪跡天涯！

這些人**進退兩難**，最後乾脆裝瘋賣傻來發洩內心的憤懣和痛苦，整天喝得醉醺醺的，自我放逐了。

這位彈琴的先生一看就是個世外高人，他是誰呢？

小朋友，你的眼光很不錯！

這位就是嵇康了。嵇康可是「七賢」之首，是他們的精神領袖。

嵇康是著名的**思想家、音樂家**和**文學家**。

技多不壓身啊！

嵇康長得英俊瀟灑，
常在山林間遨遊，閒了
就彈彈琴唱唱歌作作詩，
不過他一點不注意打扮，
留着長長的鬍子和頭髮，
顯得邋裏邋遢的。

明明可以靠顏值，
卻偏偏要靠才華。

罰酒

哼！就是「司馬昭之心——路人皆知」的那個司馬昭。

哼，敬酒不吃吃罰酒。

司馬昭想讓嵇康到
自己手下來做官，屢次
遭到嵇康的拒絕，後來
嵇康得罪了司馬昭的心
腹官員，司馬昭一怒之
下要處死嵇康。

嵇康行刑當日，三千名太學生集體請願，希望朝廷赦免他，但他們的要求並沒有被同意。

臨刑前，嵇康神色如常，向兄長嵇喜要來一把琴，在刑場上當眾彈奏了一曲《廣陵散》。琴聲優雅悲壯，令人潸然淚下。

錄音

我很聰明吧！

可是……你沒有按錄音鍵啊。

嵇康先生旁邊這位，會 666 手勢的又是哪位高人呢？

雙擊
666

這位是阮籍。

小滿，我的眼睛好痛啊！

翻白眼技能練習中

阮籍能文能武，從小就寫得一手好文章，不過他也是個脾氣古怪的人。他覺得志同道合的人，就用正常的黑眼珠看他們；而那些他看不慣的人，就翻個白眼斜着眼看他們。

阮籍旁邊裹着頭巾的這位時尚男士又是誰呢？

這位是山濤。

最新款包頭裝，帥氣嗎？

買一送一

這位是王戎。他斜着身體靠着几榻，玩着如意。

讓我來瞧瞧，這如意有多水靈！

這邊這位抱着琴的是阮咸，他正醉心地彈奏呢！

別吵吵，我正醞釀情緒呢。

我們啥也沒幹！

阮咸手裏抱着的是一種中國傳統樂器，叫作阮咸。

阮咸

阮咸

傻傻分不清楚。

相傳就是因為阮咸特別擅長彈奏這種樂器，所以就用他的名字來命名了。

那這邊這位伸着手指偷酒喝的又是誰呢？

感情深，一口悶！

他叫劉伶。

他長得又矮又醜，是個特別愛**喝酒**的人，常常坐着鹿車，帶着酒，還讓僕人扛着鋤頭跟着。

劉伶常常把衣服脫得精光，在家裏喝得酩酊大醉，喝醉了還不時發表一番狂論。

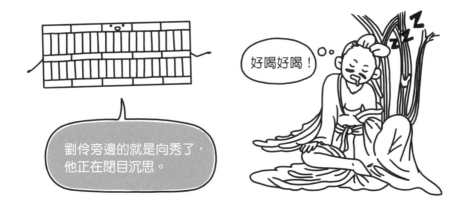

好喝好喝！

劉伶旁邊的就是向秀了，他正在閉目沉思。

整幅磚畫是南朝帝王陵墓的裝飾壁畫，

不但是迄今為止發現的最早一幅魏晉人物畫的實物，

還是現存最早的竹林七賢人物組圖。

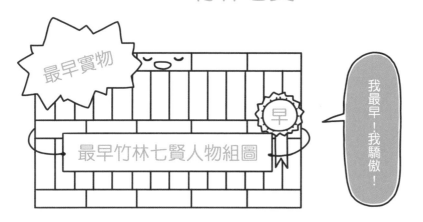

最早實物

早

最早竹林七賢人物組圖

我最早！我驕傲！

魏晉南北朝是歷史上社會最動盪、政治最黑暗的時期之一，但同時也是一個思想解放、各種文化不斷湧現的時期。

當時的人們看到「竹林七賢」喝酒作樂，也跟着模仿他們喝酒唱歌、遊山玩水。

做官的不好好做官，讀書的不好好讀書，領兵打仗的不好好領兵打仗，讀書人中還流行塗脂抹粉，大家以蒼白、瘦削、柔弱為美。總之，整個社會亂成了一鍋粥。

哇，你的胭脂哪裏買的？真好看！

你又瘦啦！快教我減肥方法！

原來「偽娘」的歷史這麼悠久！

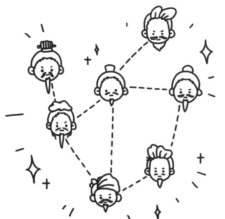

幸好，在這個混亂的時代還有「竹林七賢」留下來美妙的文章、瀟灑的書法、深邃的思想，成為黑暗夜空中閃爍的星星。

小小博士

大家想沒想過，這麼大的一幅磚畫是怎麼製作的呢？考古人員對畫像磚進行仔細研究後，破解了磚畫的製作工藝：原來工匠們先把畫稿臨摹到木頭的模子上，然後按照線稿在模子上刻好花紋，再將木頭模子印到泥坯上，燒製成青磚。最後，就用這些青磚拼嵌在墓壁上。

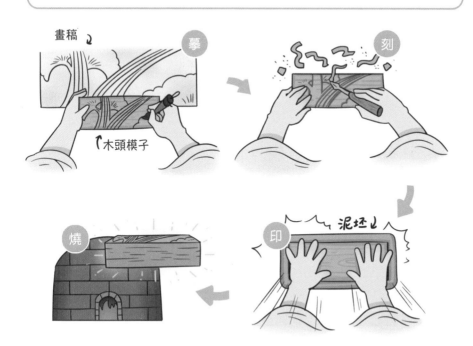

哈哈劇場

之

「竹林七賢服裝秀」

文物日誌

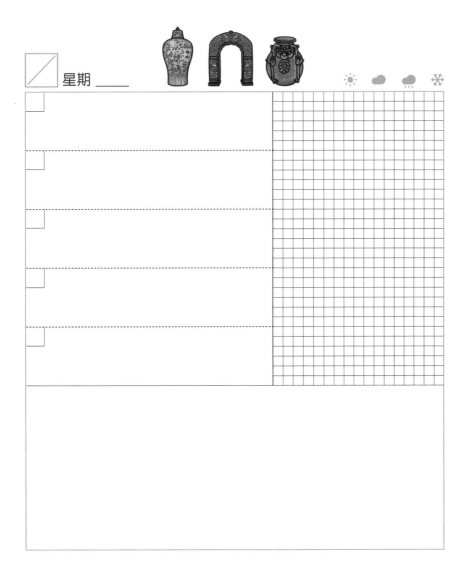

星期 ____

第七站

鎏金鑲嵌

獸形銅盒硯

個人檔案

姓　　名：鎏金鑲嵌獸形銅盒硯

年　　齡：1900 多歲

血　　型：銅金混合型

職　　業：硯台

出生日期：東漢

出 生 地：江蘇省徐州市土山漢墓

現居住地：南京博物院

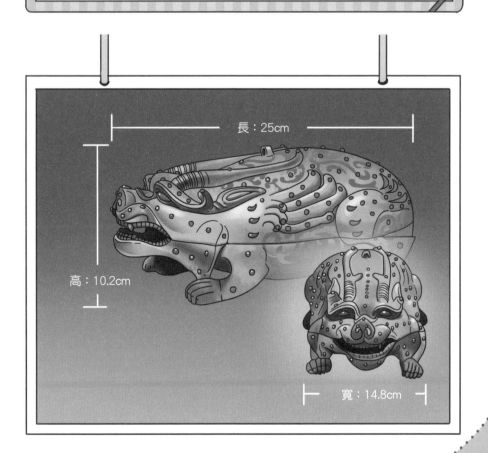

長：25cm

高：10.2cm

寬：14.8cm

6月28日　星期五　　　　　　　　　　　多雲

今天的任務是找一位很臭美的神獸大人，他長得跟青蛙很像，但又跟普通穿綠衣服的青蛙不同。他穿着一件金燦燦的衣裳，他渾身上下都鑲滿了各種寶石，我想他應該是全世界最富有的青蛙了吧。嗯，就暫時稱呼他為青蛙王子吧！

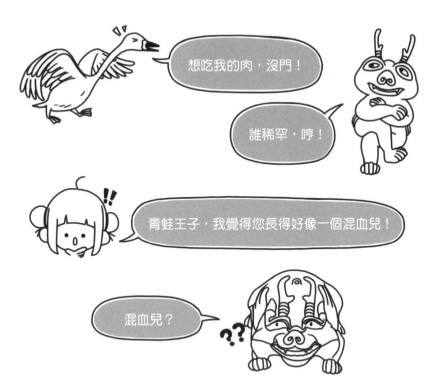

青蛙王子的鼻子像是**豬鼻子**；他的腦袋又跟**龍腦袋**很像；他的頭上還有長長的**角**。

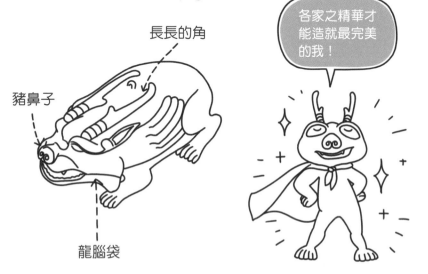

嘿嘿

不過，還是跟癩蛤蟆最像！嘿嘿嘿！

一口一個癩蛤蟆。本王子在古代可是很有地位、很體面的！

蛤蟆就是蟾蜍，在中國文化裏，蟾蜍是一種很神聖的形象。

蟾蜍特別能生孩子，所以很容易就成為古人生殖信仰的崇拜對象。考古學家挖掘出來的很多古代器物上面都有蟾蜍的圖樣紋飾。

寶寶們，要跟緊媽媽！

招財進寶

在中國神話傳說中，月宮裏有一隻三條腿的蟾蜍，所以後人也把月宮叫蟾宮。古人認為金蟾是吉祥之物，得到可以致富，寓意財源興旺、幸福美好。

秦漢以來，古人對蟾蜍很是 敬畏，認為牠能鎮凶邪、助長生。

古時候讀書人還喜歡把高中「黃榜」稱為「蟾宮折桂，科舉及第」。所以蟾蜍可是一個富有美好寓意和祝福的吉祥物。

蟾蜍王子，話說您這渾身珠光寶氣的打扮是不是有些用力過猛啊？

絕版

豪華定製

純手工

價值連城

我這件金燦燦的大衣是鎏金工藝，上面還鑲嵌了紅珊瑚、青金石和綠松石。

像您這麼貴重的裝飾品擺在家裏太招賊了吧，得找幾個保鏢好好看着。

安全！安全！報告完畢！

我可不是徒有其表的裝飾品，我是有實用價值的。

那麼就來揭曉他**真正的**身份吧！

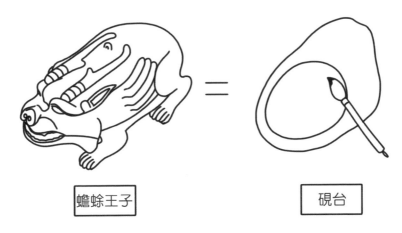

| 蟾蜍王子 | | 硯台 |

蟾蜍王子的全名是：

鎏金鑲嵌獸形銅盒硯。

它的確是一方貨真價實的**硯台**。考古學家發現它的時候，硯堂上還有墨痕存在呢。

我可是喝墨水長大的文化人！

可是您周身都金光閃閃的，哪裏有地方磨墨呢？

奧祕在這裏！

變 身

下面就是見證奇跡的時刻！

鎏金鑲嵌獸形銅盒硯被製作成渾然一體的伏地神獸，但盒蓋與盒身其實是可以分離的，是通過**子母扣**相合在一起的。

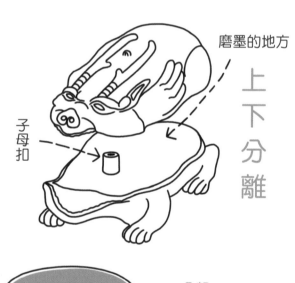

磨墨的地方

子母扣

上下分離

那您背上這塊凸起的又是甚麼呢？

凸起

漢代**求仙問道**的思想充斥着整個社會，上至皇帝下至老百姓，都希望能成仙升天，大家造了很多神獸靈物，還喜歡給各種神獸加上可以飛天的翅膀，希望能闢邪降福，早日得道成仙。

古代的工匠可真了不起，普普通通的硯台都能玩出這麼多花樣。

筆、墨、紙、硯，可是古人最基本的書寫工具，

合稱為「文房四寶」。

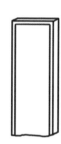
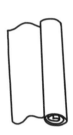

大寶·筆　　　二寶·墨　　　三寶·紙　　　四寶·硯

漢代出現了以松煙為主要原料的手工墨，同時又發明了紙，硯台花樣便豐富起來，進入了一個實用與藝術相結合的階段。人們不但嘗試用不同的材質來製作硯，還做成各種各樣的形狀。

松木燃燒後凝結起來的黑灰，是製松煙墨的原料。

玉做的

瓦做的

石頭做的

青銅做的

小小博士

關於金蟾，民間還流傳着劉海戲金蟾的神話故事。相傳，樵夫劉海幹活勤快，為人老實，與母親相依為命。一天，山林中有隻狐狸修煉成精，變成美麗俊俏的姑娘，攔住劉海的歸路，要求與他成親。婚後，劉海的妻子吐出一顆白色的珠子，幫助劉海鬥贏了金蟾。後來，劉海就讓金蟾吐出金燦燦的錢幣來，撒遍人間，接濟苦難。

▼ 劉海戲金蟾 ▼

哈哈劇場

之「打豆豆」

大力，我發現了一個很好玩的打豆豆遊戲！

你看，把相同顏色的豆豆挪到一起就可以消掉呢。

啾啾啾！

哇！

尷尬

你倆玩夠沒？我都快被搓起皮了！

文物日誌

星期 ＿＿＿

博物館
通關小列車

博物館通關小列車等你來挑戰！

選一選

老規矩，熱身運動做起來吧！

1 我身上的歲寒三友紋指的是哪三種植物呢？

○ 竹子　蘭花　梅花

○ 竹子　松柏　梅花

○ 竹子　蘭花　菊花

○ 竹子　松柏　菊花

2 徐渭

我豪放張揚、不拘一格的寫意畫風影響了後世的很多畫家，他們都有誰呢？

○ 八大山人、鄭板橋、唐伯虎、趙之謙

○ 鄭板橋、趙之謙、潘天壽、徐悲鴻

○ 八大山人、石濤、張大千、齊白石

○ 石濤、吳昌碩、齊白石、潘天壽

你知道大報恩寺琉璃塔建造的時候一共做了多少道拱門嗎？塔裏又有多少盞佛燈呢？

3

○ 120，144　　○ 168，192

○ 192，144　　○ 64，192

數學小能手快點上線！

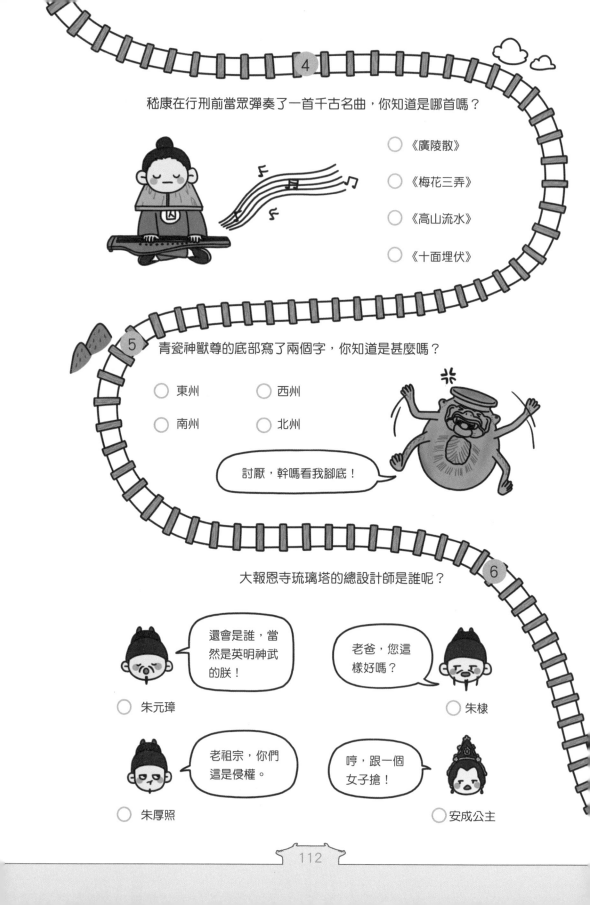

4

嵇康在行刑前當眾彈奏了一首千古名曲，你知道是哪首嗎？

○ 《廣陵散》

○ 《梅花三弄》

○ 《高山流水》

○ 《十面埋伏》

5 青瓷神獸尊的底部寫了兩個字，你知道是甚麼嗎？

○ 東州　　○ 西州

○ 南州　　○ 北州

討厭，幹嗎看我腳底！

6 大報恩寺琉璃塔的總設計師是誰呢？

還會是誰，當然是英明神武的朕！

老爸，您這樣好嗎？

○ 朱元璋

○ 朱棣

老祖宗，你們這是侵權。

哼，跟一個女子搶！

○ 朱厚照

○ 安成公主

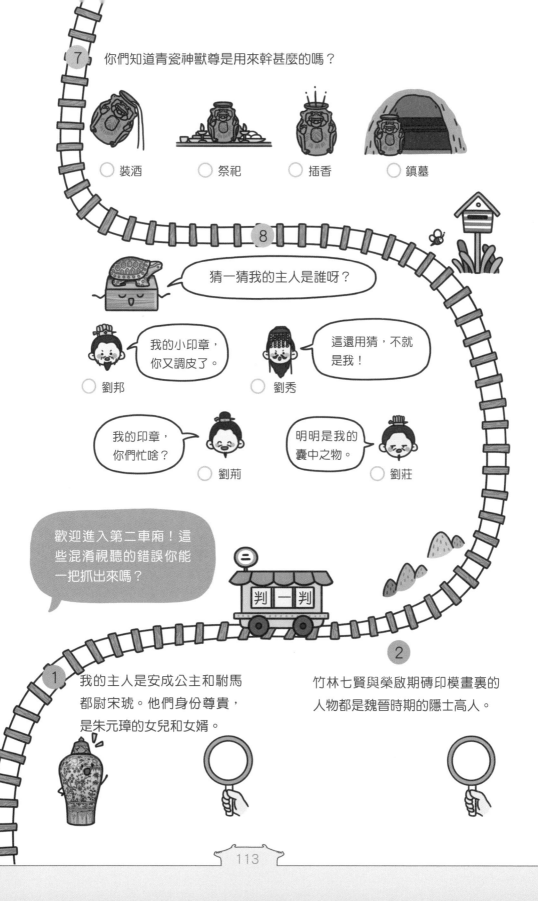

7 你們知道青瓷神獸尊是用來幹甚麼的嗎？

○ 裝酒　　○ 祭祀　　○ 插香　　○ 鎮墓

8

猜一猜我的主人是誰呀？

我的小印章，你又調皮了。
○ 劉邦

這還用猜，不就是我！
○ 劉秀

我的印章，你們忙啥？
○ 劉荊

明明是我的囊中之物。
○ 劉莊

歡迎進入第二車廂！這些混淆視聽的錯誤你能一把抓出來嗎？

判一判

1 我的主人是安成公主和駙馬都尉宋琥。他們身份尊貴，是朱元璋的女兒和女婿。

2 竹林七賢與榮啟期磚印模畫裏的人物都是魏晉時期的隱士高人。

113

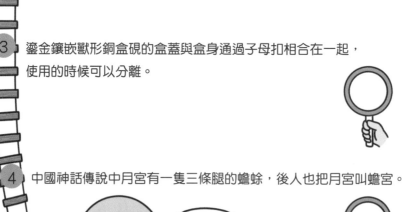

③ 鎏金鑲嵌獸形銅盒硯的盒蓋與盒身通過子母扣相合在一起，使用的時候可以分離。

④ 中國神話傳說中月宮有一隻三條腿的蟾蜍，後人也把月宮叫蟾宮。

誰叫我？

連一連

輕鬆闖過前兩關，第三車廂等你來挑戰！

前進

明朝是中國陶瓷史上一個重要發展階段，不同時期都湧現了不同的精美作品。試着把這些陶瓷的品種和它們鼎盛的時期連起來吧。

［洪武］　　［永樂］［宣德］　　［成化］　　［弘治］　　［嘉靖］［萬曆］

五彩瓷　　　鬥彩瓷　　　釉裏紅瓷　　青花瓷　　黃釉瓷

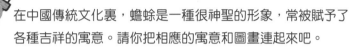

2 在中國傳統文化裏，蟾蜍是一種很神聖的形象，常被賦予了各種吉祥的寓意。請你把相應的寓意和圖畫連起來吧。

科舉及第

多子多福

鎮凶邪、助長生

財源興旺

進入了高難度的第四車廂，相信你一定行！

大報恩寺琉璃塔的三大特點，你還記得嗎？

(   )   (   )   (   )

幫竹林七賢和榮啟期填一下他們的名片吧！

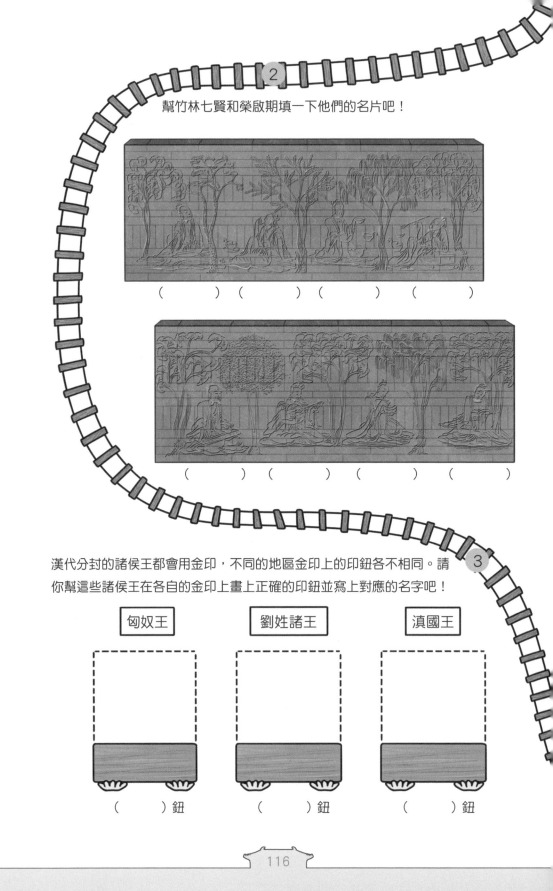

(   )　(   )　(   )　(   )

(   )　(   )　(   )　(   )

漢代分封的諸侯王都會用金印，不同的地區金印上的印鈕各不相同。請你幫這些諸侯王在各自的金印上畫上正確的印鈕並寫上對應的名字吧！

匈奴王	劉姓諸王	滇國王

(   )鈕　　(   )鈕　　(   )鈕

到達第五關了,擦亮你的眼睛吧!

我們有五處不同呢,快點 找出來吧!

①

②

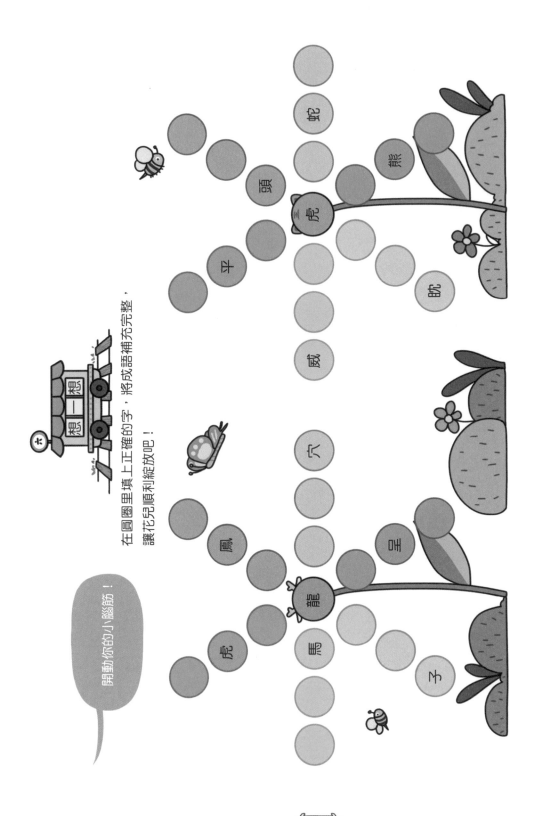

開動你的小腦筋！

想一想

在圓圈裡填上正確的字，將成語補充完整，讓花兒順利綻放吧！

蛇

頭

熊

虎

平

眈

威

穴

鳳

呈

龍

馬

子

虎

看了那麼多國寶，

你是不是也蠢蠢欲動，想拿起筆設計一款與眾不同的藝術品呢？

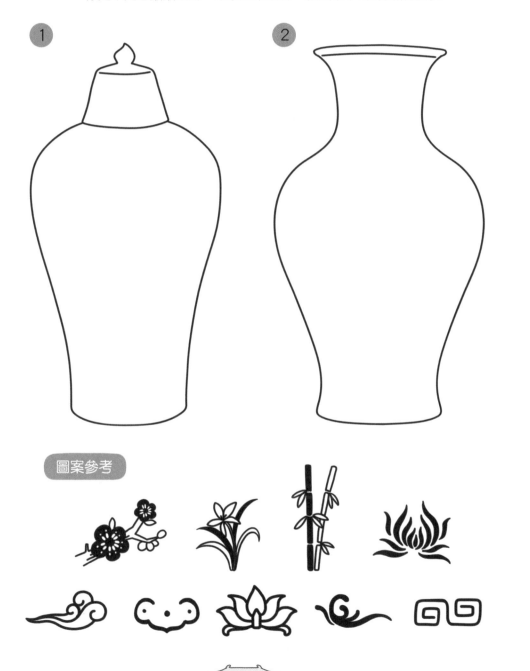

圖案參考

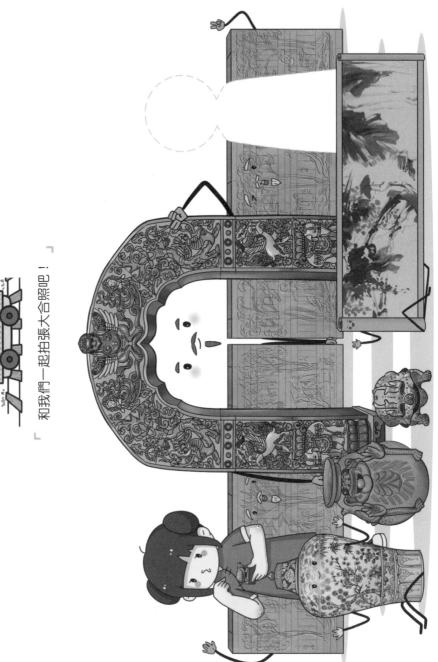

「和我們一起拍拍張大合照吧！」

畫一畫

我是答案

我是答案

一　選一選

1. 竹子　松柏　梅花
2. 石濤、吳昌碩、齊白石、潘天壽
3. 192，144　　　4.《廣陵散》
5. 東州　6. 朱棣　7. 鎮墓　8. 劉荊

二　判一判

1. ✗　2. ✗　3. ✔　4. ✔

三　連一連

1. 　　2.

四　填一填

1. 高聳入雲　通體琉璃　佛燈永明
2. 嵇康　阮籍　山濤　王戎
　　榮啟期　阮咸　劉伶　向秀
3. 羊　龜　蛇

五　找一找

1. 　2.

六　想一想

1. 龍爭虎鬥　龍飛鳳舞　龍潭虎穴　龍鳳呈祥　龍生九子　龍馬精神
2. 虎落平陽　虎頭虎腦　虎頭蛇尾　虎背熊腰　虎視眈眈　虎虎生威

　　親愛的小朋友，感謝你和博物館通關小列車一起經歷了一段美好的知識旅程。這些好玩又有趣的知識，你都掌握了嗎？快去考考爸爸媽媽和你身邊的朋友吧！

◆ 答對 8 題以上：真棒，你是博物館小能手了！
◆ 答對 12 題以上：好厲害，「博物館小達人」的稱號送給你！
◆ 答對 15 題以上：太能幹了，不愧為博物館小專家！
◆ 全部答對：哇，你真是天才啊，中國考古界的明日之星！

博物館
參觀注意事項

輕聲說話，文明觀展。

博物館參觀注意事項

閃光燈會傷害文物的皮膚哦！

請把你的小爪爪從玻璃上移開。

作者　杜瑩

● 有着無限童心與愛心的「大兒童」

● 正兒八經學歷史出身的插畫師

● 在寧波工程學院主講藝術史的高校教師

● 夢想做個把中華傳統文化講得生動有趣的「孩子王」